A1

David Clément-Rodríguez

DELF

Corrigés et transcriptions

CLE
INTERNATIONAL

W0010761

Compréhension de l'ORAL

A. D'un ami

ACTIVITÉ 2
1. (à) 12 h 15/midi et quart. – 2. a. – 3. b. –
4. (des/tes) lunettes (de soleil).

ACTIVITÉ 3
1. (d') Allemagne. – 2. 4/quatre (jours). – 3. c. – 4. b.

ACTIVITÉ 4
1. c. – 2. 12 h 30/midi et demi. – 3. b. – 4. (sa) sœur.

ACTIVITÉ 5
1. b. – 2. a. – 3. (les/deux) tickets (de cinéma). –
4. 7 €/euros.

ACTIVITÉ 6
1. (la) semaine prochaine. – 2. b. – 3. (un) appareil-
photo. – 4. c.

ACTIVITÉ 7
1. Deux/2. – 2. b. – 3. (un/le) film. – 4. b.

ACTIVITÉ 8
1. (le) 26 (mars). – 2. b. – 3. c. – 4. Aujourd'hui.

ACTIVITÉ 9
1. (le) lundi/(le) 5/(le) lundi 5. – 2. (le/du) ski. –
3. b. – 4. a.

ACTIVITÉ 10
1. b. – 2. Six heures/6 h 00 (du soir)/18 h 00. –
3. a. – 4. 7 euros 50/7,50 €/sept euros cinquante.

B. D'un professionnel

ACTIVITÉ 11
1. a. – 2. Aujourd'hui. – 3. b. – 4. 223 (euros/€)

ACTIVITÉ 12
1. c. – 2. (à) 10 h 30/10 h et demie/dix heures et demie.
– 3. Deux réponses possibles : (le) directeur (commercial) OU (la) comptable. – 4. a.

ACTIVITÉ 13
1. c. – 2. (la) bibliothèque (municipale). – 3. a. –
4. 18 h/heures.

ACTIVITÉ 14
1. 40 (€/euros) – 2. b. – 3. Vendredi et samedi. – 4. c.

ACTIVITÉ 15
1. a. – 2. (à partir de) jeudi. – 3. (à) 9 h 15/9 heures 15/9
h et quart/9 heures et quart. – 4. b.

ACTIVITÉ 16
1. c. – 2. (du) jeudi au dimanche/(du) 25 au 28/(du)
jeudi 25 au dimanche 28. – 3. b. – 4. (le/un) taxi.

ACTIVITÉ 17
1. c. – 2. (à partir de) vendredi. – 3. 9 h/9 heures/neuf
heures. – 4. a.

A. À la radio

ACTIVITÉ 1
1. c. – 2. c. – 3. 3 000 (personnes). – 4. Deux réponses
possibles : (sur) Internet OU (par) téléphone.

ACTIVITÉ 2
1. a. – 2. 10 % – 3. b. – 4. (le) dimanche 29/(le) 29.

ACTIVITÉ 3
1. c. – 2. Mai. – 3. (le) 03 44 56 60 60. – 4. b.

ACTIVITÉ 4
1. Mercredi. – 2. a. – 3. 1946. – 4. b.

ACTIVITÉ 5
1. a. – 2. Jeudi (prochain). – 3. b. – 4. 20/vingt (places).

ACTIVITÉ 6
1. a. – 2. b. – 3. 6/six (buts). – 4. (le) basket/basketball.

ACTIVITÉ 7
1. 3/trois. – 2. (le) vendredi 28/(le) 28/(le) 28 juin/(le)
vendredi 28 juin. – 3. c. – 4. 50.

ACTIVITÉ 8
1. (dans le) nord. – 2. 24 (° C/degrés) – 3. a. – 4. b.

ACTIVITÉ 9
1. Dimanche. – 2. 9 h-19 h/de 9 h à 19 h. – 3. (les)
livres. – 4. c.

 　　　ISBN : 978-209-038252-5

B. Dans un lieu public

ACTIVITÉ 10

1. b. – **2.** (numéro) 5/cinq. – **3.** a. – **4.** (le) billet.

ACTIVITÉ 11

1. (le) poisson. – **2.** a. – **3.** 2/deux. – **4.** b.

ACTIVITÉ 12

1. 354. – **2.** b. – **3.** b. – **4.** Deux réponses possibles : (en) français OU (en) anglais.

ACTIVITÉ 13

1. 30 minutes. – **2.** a. – **3.** b. – **4.** promotions.

ACTIVITÉ 14

1. a. – **2.** (à partir de) 19 h/heures. – **3.** a. – **4.** (le) métro.

ACTIVITÉ 15

1. a. – **2.** (les) enfants. – **3.** 11 h/heures. – **4.** b.

ACTIVITÉ 16

1. c. – **2.** (à) 16 h 18/16 heures 18. – **3.** 6. – **4.** b.

ACTIVITÉ 17

1. a. – **2.** (dans) 15 (minutes). – **3.** Deux réponses possibles : (le) billet OU (le) passeport. – **4.** b.

III | **Comprendre des conversations entre locuteurs natifs**

ACTIVITÉ 1

A. 4 – B. 1 – C. 2 – D. / – E. 5 – F. 3

ACTIVITÉ 2

A. 1 – B. 3 – C. 5 – D. 4 – E. 2 – F. /

ACTIVITÉ 3

A. 5 – B. 4 – C. 1 – D. / – E. 3 – F. 2

ACTIVITÉ 4

A. 2 – B. / – C. 1 – D. 4 – E. 5 – F. 3

ACTIVITÉ 5

A. 1 – B. 5 – C. 3 – D. / – E. 4 – F. 2

ACTIVITÉ 6

A. / – B. 2 – C. 4 – D. 1 – E. 5 – F. 3

ACTIVITÉ 7

A. 4 – B. 1 – C. 3 – D. 5 – E. / – F. 2

ACTIVITÉ 8

A. 2 – B. / – C. 5 – D. 3 – E. 1 – F. 4

ACTIVITÉ 9

A. 3 – B. / – C. 5 – D. 1 – E. 2 – F. 4

ACTIVITÉ 10

A. / – B. 1 – C. 3 – D. 2 – E. 5 – F. 4

ACTIVITÉ 11

A. / – B. 5 – C. 1 – D. 4 – E. 3 – F. 2

ACTIVITÉ 12

A. 1 – B. 3 – C. / – D. 5 – E. 2 – F. 4

ACTIVITÉ 13

A. 4 – B. 5 – C. 2 – D. 1 – E. 3 – F. /

ACTIVITÉ 14

A. 1 – B. 3 – C. / – D. 5 – E. 4 – F. 2

ACTIVITÉ 15

A. 5 – B. 1 – C. 3 – D. / – E. 2 – F. 4

ACTIVITÉ 16

A. 4 – B. 2 – C. / – D. 5 – E. 1 – F. 3

Compréhension
des ÉCRITS

I | **Comprendre des instructions**

A. Dans la vie quotidienne

ACTIVITÉ 2

1. (les) horaires (au travail). – **2.** b. – **3.** c. – **4.** b. – **5.** 4/quatre (personnes).

ACTIVITÉ 3

1. a. – **2.** b. – **3.** Deux réponses possibles : (de l') eau OU (une) boisson isotonique. – **4.** (à) 20 h/heures. – **5.** (le)

responsable (de la salle/de Top Sport/de la salle Top Sport).

ACTIVITÉ 4

1. c. – **2.** (film de) suspense. – **3.** b. – **4.** a. – **5.** (à) 19 h/heures.

ACTIVITÉ 5

1. c. – **2.** b. – **3.** a. – **4.** (une) salade (composée). – **5.** Deux réponses possibles : demain OU (à) 20 h/heures.

ACTIVITÉ 6

1. (pour un) anniversaire/(pour l') anniversaire de Guillaume. – **2.** b. – **3.** 6/six (œufs). – **4.** 1 / un litre. – **5.** Deux réponses possibles : ce soir OU avant la fête.

B. Dans un lieu public

ACTIVITÉ 7

1. b. – **2.** b. – **3.** (le) 14 mars. – **4.** (les/aux) étudiants (de l'école). – **5.** c.

ACTIVITÉ 8

1. (des) rollers. – **2.** 48. – **3.** b. – **4.** b. – **5.** b.

ACTIVITÉ 9

1. (la) Maison de la Ville. – **2.** (le) 7/(le) samedi 7. – **3.** a. – **4.** Deux réponses possibles : 200 €/euros OU (un) livre (de recettes). – **5.** c.

ACTIVITÉ 10

1. a. – **2.** (le/au) conducteur. – **3.** b. – **4.** 1/une heure. – **5.** (le) dimanche.

ACTIVITÉ 11

1. (la) semaine prochaine. – **2.** c. – **3.** a. – **4.** 2/deux francs. – **5.** appeler/téléphoner (au 022 346 1812).

C. Dans une annonce ou un mode d'emploi

ACTIVITÉ 12

a. b. – **2.** a. – **3.** c. – **4.** (le) 071 46 54 79.

ACTIVITÉ 13

1. c. – **2.** a. – **3.** 5/cinq. – **4.** Chanteur. – **5.** c.

ACTIVITÉ 14

1. (le) 9 janvier. – **2.** (à) 17 h/heures. – **3.** b. – **4.** (un) certificat (médical) – **5.** Appeler/Téléphoner (au 01 41 33 15 68).

ACTIVITÉ 15

1. b. – **2.** 5/cinq (secondes) – **3.** Au revoir. – **4.** c. – **5.** b.

ACTIVITÉ 16

1. b. – **2.** c. – **3.** 7/sept (minutes). – **4.** b. – **5.** Deux réponses possibles : (un jeu de) rapidité OU (un jeu de) réflexion.

ACTIVITÉ 17

1. a. – **2.** b. – **3.** 2/deux minutes. – **4.** c. – **5.** (des) lettres.

II S'orienter dans l'espace et dans le temps

A. Message d'un ami ou d'un collègue

ACTIVITÉ 1

1. a. – **2.** (les/aux) enfants. – **3.** c. – **4.**

5. 18 (rue Mozart).

ACTIVITÉ 2

1. b. – **2.** Mercredi. – **3.** (à) 20 h 30. – **4.** 5/cinq €/ euros. – **5.** (le) printemps.

ACTIVITÉ 3

1. c. – **2.** b. – **3.** *L'assassin habite au 21.* –
4.

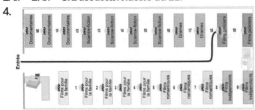

5. (pendant) 24 h/24 heures/un jour.

ACTIVITÉ 4

1. Samedi. – **2.** (à) 10 h/heures. – **3.** b. – **4.** c. – **5.** Appeler/téléphoner (au 06 49 64 78 87).

ACTIVITÉ 5

1. b. – **2.** c. – **3.** *Dix petits hommes.* –
4.

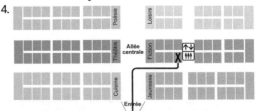

5. 10/dix (exemplaires).

ACTIVITÉ 6

1. (à) 8 h/heures. – **2.** a. – **3.** a. –
4.

5. Samedi.

ACTIVITÉ 7

1. (le/au) Lac Léman. – **2.** 2/deux. – **3.** b. – **4.** Rouge. – **5.** Jeudi (soir).

ACTIVITÉ 8

1. c. – **2.** Deux réponses possibles : (le) métro/(la) ligne A OU (le) bus/lignes 2 et 10. –
3.

4. c. – **5.** 2 €/euros.

ACTIVITÉ 9

1. c. – **2.** (à) 10 h/heures. – **3.** b. –
4.

5. (au) restaurant.

ACTIVITÉ 10

1. (un/le) client. – **2.** (le/au) centre commercial (de la Rotonde). – **3.** c. –
4.

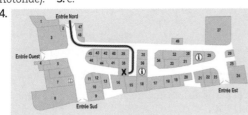

5. (sur son/par) téléphone (portable).

ACTIVITÉ 11

1. b. – **2.** (ses) parents. – **3.** (la) voiture. – **4.** (à) 8 h 30. –
5.

B. Dans un lieu public ou dans la presse

ACTIVITÉ 12

1. 44000. – **2.** (à) 14 h 15. – **3.** (le) lundi. – **4.** (les) fêtes (de fin d'année). – **5.** c.

ACTIVITÉ 13

1. 2/deux. – **2.** a. – **3.** b. – **4.** a. – **5.** (les) adultes.

ACTIVITÉ 14

1. c. – **2.** (à) 5 h 05. – **3.** (à) 20 h 38. – **4.** (le) mardi / (le) mardi 29 / (le) mardi 29 octobre / (le) mardi 29/10. –
5. (le) dimanche / (les) dimanches.

ACTIVITÉ 15

1. *Temps et Vie*. – **2.** *La vieille femme*. – **3.** b. –
4. 20 $/dollars. – **5.** (le) 26 (novembre).

ACTIVITÉ 16

1. (le) 10 septembre. – **2.** b. – **3.** (le) dimanche. –
4. (salle) 19. – **5.** (La) gestion des données.

ACTIVITÉ 17

1. 2/deux (avions). – **2.** Tokyo. – **3.** b. – **4.** b. – **5.** PN 0136.

ACTIVITÉ 18

1. c. – **2.** (dans le) bâtiment A. –
3.

4. c. – **5.** 3/trois (livres).

III S'informer

A. Dans un article de presse écrite ou sur Internet

ACTIVITÉ 1

1. Le 16 septembre. – **2.** Deux réponses possibles : (l') identité (du conducteur) OU (le) type (de permis). –
3. b. – **4.** (le) ministère (de l'Intérieur). – **5.** 38 millions/ 38 000 000.

ACTIVITÉ 2

1. b. – **2.** Lyon. – **3.** (en) 2012. – **4.** Deux réponses possibles : (pour) décorer (Lyon) OU (pour) communiquer (avec les Lyonnais). – **5.** (le/leur) style (artistique).

ACTIVITÉ 3

1. (depuis) 2006. – **2.** (le) 25 (novembre). – **3.** a. –
4. (le) jazz. – **5.** c.

ACTIVITÉ 4

1. Pascal Plisson. – **2.** a. – **3.** b. – **4.** c.

ACTIVITÉ 5

1. b. – **2.** a. – **3.** 15 millions/15 000 000. – **4.** b. – **5.** (il est) naturel/très naturel.

ACTIVITÉ 6

1. a. – **2.** *Renouveau*. – **3.** 11/onze. – **4.** b. – **5.** c.

ACTIVITÉ 7

1. (il est) réalisateur. – **2.** c. – **3.** 5/cinq. – **4.** c. – **5.** b.

ACTIVITÉ 8

1. a. – **2.** 3 100. – **3.** c. – **4.** a. – **5.** (un) spectacle (de dauphins).

B. Dans des documents informatifs

ACTIVITÉ 9

1. (pour) confirmer la réservation. – **2.** c. – **3.** c. – **4.** (le) miel. – **5.** (le) match (de football).

ACTIVITÉ 10

1. (le) 16 mars. – **2.** (dans le) centre (de la ville). – **3.** b. – **4.** a. – **5.** (une/la) voiture.

ACTIVITÉ 11

1. 35 (heures). – **2.** a. – **3.** (la/en) France. – **4.** Annette Roussillon. (OU : la responsable des Ressources Humaines) – **5.** c.

ACTIVITÉ 12

1. a. – **2.** Deux réponses possibles : (le) nom et (l') adresse. – **3.** Deux réponses possibles : (le) nom du diplôme OU (la) date des examens. – **4.** b. – **5.** (à/à partir de) 13 h 30.

ACTIVITÉ 13

1. a. – **2.** a. – **3.** c. – **4.** 12/douze. – **5.** 40 €/euros.

ACTIVITÉ 14

1. b. – **2.** 1,50 €/euros. – **3.** a – **4.** (jusqu'au) 15/15 janvier. – **5.** c.

ACTIVITÉ 15

1. c. – **2.** (devant le) bassin (des dauphins). – **3.** (pendant) 4/quatre heures. – **4.** c. – **5.** c.

Épreuves
TYPES

Delf blanc 1

Compréhension orale

EXERCICE 1

1. b. – **2.** (pour l'/son) anniversaire. – **3.** a. – **4.** 16 €/euros.

EXERCICE 2

1. 25 OU 25 km/h. – **2.** c. – **3.** b. – **4.** (très) bonne.

EXERCICE 3

1. (à partir de la) semaine prochaine. – **2.** 51 89 – **3.** b. – **4.** b.

EXERCICE 4

A. 1 – **B.** 2 – **C.** 5 – **D.** 3 – **E.** 4 – **F.** /

Compréhension des écrits

EXERCICE 1

1. a. – **2.** a. – **3.** (ses) frères/ (ses) deux frères. – **4.** (à) midi/ (à) 12 h. – **5.** c.

EXERCICE 2

1. (un/son) chien. – **2.** c. – **3.** b. – **4.** 06 78 26 03 29 – **5.**

EXERCICE 3

1. (le) 3/ (le) 3 décembre / (le) 3/12. – **2.** (dans la) salle (de réunion) / (dans la) grande salle (de réunion). – **3.** (du) café. – **4.** (à) 16 h 30. – **5.** b.

EXERCICE 4

1. a. – **2.** Deux réponses possibles : (des) biscuits OU (un) fruit. – **3.** (un bol de) lait/ (des) céréales/ (un) bol de lait aux céréales. – **4.** c. – **5.** c.

Compréhension orale

EXERCICE 1
1. Dimanche (prochain). – **2.** c. – **3.** 11 h/heures. – **4.** b.

EXERCICE 2
1. (l'autoroute) A1. – **2.** c. – **3.** c. – **4.** (le/au) 09 10 80 13 72.

EXERCICE 3
1. a. – **2.** c. – **3.** Aujourd'hui. – **4.** (à partir de) 14 h/heures.

EXERCICE 4
A. 2 – **B.** 4 – **C.** 3 – **D.** 1 – **E.** / – **F.** 5

Compréhension des écrits

EXERCICE 1
1. (pour la) forme/(pour la) forme physique/(pour) améliorer la forme physique. – **2.** a. – **3.** b. – **4.** (pendant) 2/deux mois. – **5.** c.

EXERCICE 2
1. Le Nouvel An/la nouvelle année/le réveillon du 31 décembre. – **2.** (à) 21 h/heures. – **3.** a. –
4.

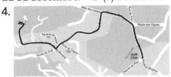

5. b.

EXERCICE 3
1. (le) 6 juin. – **2.** (au) comité (d'entreprise). – **3.** 55 €/euros. – **4.** a. – **5.** (les) enfants (des employés).

EXERCICE 4
1. b. – **2.** *Henri le petit sorcier.* – **3.** *Le tour du monde en 80 jours.* – **4.** b. – **5.** a.

Compréhension orale

EXERCICE 1
1. (son) travail/(son) nouveau travail. – **2.** a. – **3.** a. – **4.** (le/au) 06 15 08 19 58.

EXERCICE 2
1. (à) Paris. – **2.** a. – **3.** (le) 08 92 10 78 35 – **4.** c.

EXERCICE 3
1. b. – **2.** (une) annonce. – **3.** a. – **4.** (le) 623.

EXERCICE 4
A. 4 – **B.** 3 – **C.** 1 – **D.** 5 – **E.** / – **F.** 2

Compréhension des écrits

EXERCICE 1
1. a. – **2.** www.boutiques-edf.fr – **3.** (le) 09 69 39 33 08. – **4.** c. – **5.** c.

EXERCICE 2
1. Jeudi (soir). – **2.** (l')Astrolabe. – **3.** a. –
4.

5. c.

EXERCICE 3
1. c. – **2.** (samedi) 21 avril. – **3.** (à la) Maison du quartier. – **4.** (une/la) réunion (d'information). – **5.** (vendredi) 9 mars.

EXERCICE 4
1. 21 €/euros. – **2.** (le/au) bord de la Loire. – **3.** b. – **4.** a. – **5.** b.

Compréhension
de l'ORAL

A. D'un ami

ACTIVITÉ 1

Coucou, c'est Isabelle. Comment vas-tu ? Tu veux sortir vendredi soir ? Il y a un nouveau bar sympa au centre-ville, le *Mambo*. Il se trouve au 42, rue des Guerriers samouraïs. La décoration est très jolie et la musique est sympa. Pour aller au bar, ne prends pas le tramway, mais le bus. Rappelle-moi pour confirmer ! Bisous.

ACTIVITÉ 2

Coucou, c'est Laëtitia ! J'ai rendez-vous avez Davy et Geneviève à midi et quart. On mange chez moi et après nous allons à la piscine pour nager et bronzer sur la pelouse. Si tu veux venir avec nous, appelle-moi. Si tu viens, n'oublie pas de prendre tes lunettes de soleil. Bisous !

ACTIVITÉ 3

Salut, c'est Hugo. J'ai une bonne nouvelle. Florian est revenu d'Allemagne mardi. Il reste à Toulouse pendant 4 jours. Il veut nous voir ! Je te propose de venir dîner chez moi jeudi soir. Si tu es d'accord, est-ce que tu peux apporter des tomates pour faire une salade ? Appelle-moi ce soir ! Bises.

ACTIVITÉ 4

Bonjour, c'est Rose. Tu vas bien ? J'ai fait une réservation à la pizzeria *Giovanni*. Nous avons rendez-vous à midi et demi. Il y a des menus à 14 euros ou à 17 euros. Je te donne l'adresse : 15, rue des peupliers. Nous serons trois personnes : j'ai invité ma soeur. Appelle-moi pour confirmer. À demain !

ACTIVITÉ 5

Salut, c'est Alex. Je suis en retard. Je ne peux pas passer chez toi. Je te donne rendez-vous au nouveau cinéma. Prends le bus numéro 16, en direction du Centre commercial des Fontaines. Descends à l'arrêt *Nouveau Cinéma*. Le cinéma est rue de la Gare, au numéro 3. Est-ce que tu peux acheter les tickets, s'il te plaît ? La place coûte 7 euros. À tout à l'heure. Bisous.

ACTIVITÉ 6

Salut, c'est Sylvain. Nous allons visiter Strasbourg la semaine prochaine. Tu veux venir ? Ça va être sympa. Nous allons prendre le train. Il part samedi matin, à 8 h 56. N'oublie pas ton appareil-photo ! Rappelle-moi à mon nouveau numéro : 07 56 13 88 42. Ciao.

ACTIVITÉ 7

Salut, c'est Antony. J'ai deux invitations pour le cinéma. Tu veux venir ? C'est gratuit. Je finis le travail à 15 heures, mais je vais chez le dentiste à 16 heures. Alors, je te propose d'aller à la séance de 18 heures. Rappelle-moi quand tu as choisi le film. Après, je vais faire la réservation sur Internet. À plus tard.

ACTIVITÉ 8

Bonjour, c'est Mégane. Comment vas-tu ? Je t'appelle pour le 26 mars. Je suis libre à partir de deux heures de l'après-midi. Je veux faire une activité culturelle. On peut aller au musée ou au cinéma l'après-midi. Tu es d'accord ? Si tu ne peux pas, nous pouvons dîner au restaurant vers sept heures. Rappelle-moi aujourd'hui. Bisous !

ACTIVITÉ 9

Salut, c'est Adil. Je suis rentré de voyage le lundi 5. J'ai adoré la Suisse. C'est un beau pays. J'ai fait du ski tous les jours. La nourriture est délicieuse. J'ai mangé beaucoup de chocolat et de fondue au fromage, évidemment ! Mais j'ai détesté les röstis ! On se voit ce week-end ? J'ai un cadeau pour toi : c'est une montre ! À bientôt.

ACTIVITÉ 10

Bonsoir, c'est Cristina. Je vais à une exposition de peintures avec Armelle, jeudi soir. Est-ce que tu veux venir avec nous ? On peut se retrouver devant l'espace Matisse à six heures. Pour y aller, tu peux prendre le bus 112. L'entrée coûte 7 euros 50. Rappelle-moi au 06 79 14 78 49. Bises.

B. D'un professionnel

ACTIVITÉ 11

Bonjour, ici le garage Bolide. Votre voiture est prête. Vous pouvez venir la chercher aujourd'hui. Le garage ouvre de huit heures à midi, puis de une heure et demie à sept heures et demie. Les réparations sont de 223 euros. Nous vous demandons de payer par carte bancaire. Merci. Au revoir.

ACTIVITÉ 12

Bonjour, ici monsieur Dujardin. Je vous confirme l'heure de la réunion de demain matin. Elle est à dix heures et demie. Le directeur commercial et la comptable seront présents. S'il y a un problème, vous pouvez m'appeler au 04 78 96 12 14. Merci et bonne journée.

ACTIVITÉ 13

Bonjour, ici Madame Lara, de l'agence immobilière. Je vous appelle pour votre recherche de logement. Nous avons un loft à vous proposer. Il est situé près de la bibliothèque municipale. Si vous voulez le visiter, rappelez-moi avant mercredi, 18 heures, au 03 88 17 40 15. Merci, au revoir !

ACTIVITÉ 14

Bonjour, ici le club de sports Formule +. Je vous appelle pour vous proposer un abonnement à 40 euros par mois. Avec ce tarif, vous pouvez utiliser la salle de fitness et la piscine, du lundi au samedi. Si cette offre spéciale vous intéresse, venez me voir au club vendredi ou samedi. Nous fermons à 21 heures tous les soirs de la semaine et à 19 heures le week-end. Merci. Au revoir.

ACTIVITÉ 15

Bonjour, ici le magasin MégaTec. Félicitations ! Vous avez gagné un téléphone portable. Vous pouvez venir le chercher à partir de jeudi. Le magasin ouvre à 9 heures et quart. Vous devez présenter une pièce d'identité. Bonne soirée et à bientôt.

ACTIVITÉ 16

Bonjour, ici l'agence de voyage Lacrosse. Je vous confirme votre réservation. Vous logez à l'hôtel Gamma, à Bruxelles, du jeudi 25 au dimanche 28. Le petit-déjeuner et Internet sont inclus. Je vous conseille d'aller à l'hôtel en taxi. Si vous avez des questions, appelez-moi au 01 57 32 32 33. Bonne journée.

ACTIVITÉ 17

Bonjour, ici le magasin Méga J. Vous avez commandé un jeu vidéo la semaine dernière. Il est arrivé dans notre magasin. Vous pouvez venir le chercher à partir de vendredi au 23, rue des Clochetons. Le magasin est ouvert de 9 h à 19 h non-stop. N'oubliez pas votre pièce d'identité. Merci et bonne journée.

II Comprendre une annonce

A. À la radio

ACTIVITÉ 1

Le festival de théâtre *En Val de Lugnes* fête ses 10 ans le 20 juillet prochain. Au programme, il y a 6 pièces de théâtre. Chaque année, le festival a beaucoup de succès : 3 000 personnes assistent au spectacle. Vous pouvez réserver vos places à partir de maintenant, par téléphone ou sur Internet.

ACTIVITÉ 2

Profitez de promotions exceptionnelles à MégaJeux : -10 % sur les jeux vidéo et -20 % sur les accessoires. Si vous dépensez 150 € dans notre magasin, nous vous offrons une remise de 25 €. Offre valable jusqu'au 30 janvier. Ouverture exceptionnelle le dimanche 29.

ACTIVITÉ 3

Radio Zik, il est 14 h. Vous pouvez gagner des places pour le festival musical *Nuits sonores* à Lyon. Le festival est du 27 au 31 mai. Pour jouer, appelez le 03 44 56 60 60. Vous devez écouter une chanson et dire son titre. Si vous reconnaissez la chanson, vous gagnez 2 places pour le festival. Bonne chance !

ACTIVITÉ 4

Radio Cinéma, bonjour. Aujourd'hui, mercredi, je vous parle des nouveaux films. Pour les enfants, je recommande *La Petite Fabrique du monde*. Ce sont 7 dessins animés sur l'émotion et l'imagination. Si vous aimez le cinéma classique, allez voir *La Belle et la Bête* de Jean Cocteau. Ce film est sorti en 1946 et il revient au cinéma pendant une semaine. Si vous appelez le 0 800 63 10 10, vous pouvez gagner deux places gratuites.

ACTIVITÉ 5

Radio France, il est 10 h. Le nouveau musée d'art moderne va ouvrir jeudi prochain. Les horaires sont de 9 h à 19 h du mardi au vendredi, et de 9 h 30 à 17 h 30 le samedi et le dimanche. Radio France offre vingt places. Pour participer, appelez le 0 805 15 12 15.

ACTIVITÉ 6

RTS, bonjour. Suivez le sport en direct ! La saison de football commence mal : l'équipe de Lausanne ne va pas participer à la Super Ligue de football. En hockey, l'équipe de Fribourg a marqué 6 buts et a gagné le match. Enfin, félicitations aux Français ! Cette année, ils gagnent la coupe d'Europe de basket. Les Français qui habitent à Genève ont célébré la victoire toute la nuit.

ACTIVITÉ 7

Aujourd'hui, dans l'actualité musicale, nous parlons du festival *Solidays*. Cette année, le festival dure 3 jours, du vendredi 28 au dimanche 30 juin. Plus de 170 000 personnes vont assister aux concerts de 50 artistes. Si vous allez les voir, amusez-vous bien !

ACTIVITÉ 8

Radio France, bonjour. Il est 11 h 17. Aujourd'hui, il fait beau en France. Le soleil brille, la température est de 20 degrés dans le nord et 24 degrés dans le sud. Mais, dans l'ouest de la France, il y a des nuages et beaucoup de vent. Et la température est fraîche : 18 degrés seulement en Bretagne. Bonne journée !

ACTIVITÉ 9

Les magasins *Super I* ouvrent exceptionnellement ce dimanche, de 9 h à 19 h, sans interruption. Il y aura beaucoup de promotions : -10 % sur le chocolat, -20 % sur les vêtements et -25 % sur les DVD. Si vous dépensez 200 euros ou plus, Super I vous offre une clé USB.

B. Dans un lieu public

ACTIVITÉ 10

Mesdames, messieurs, le train à destination de Tours va partir voie numéro 5. Il s'arrête à Blois à 11 h 22, à Saint-Pierre-des-Corps à 11 h 48 et arrive à Tours, son terminus, à 12 h 03. Vous devez valider votre billet avant de monter dans le train. La SNCF vous souhaite un bon voyage.

ACTIVITÉ 11

Aujourd'hui, votre magasin propose une promotion exceptionnelle au rayon frais : moins 20 % sur le poisson. Profitez aussi des fromages : 2 euros de réduction sur le camembert, le brie et le roquefort. Dépêchez-vous, ces promotions se terminent dans 15 minutes.

ACTIVITÉ 12

Mesdames, messieurs, bienvenus à bord du vol 354 à destination de Toulouse. Vous pouvez acheter des boissons pour 2 euros et des sandwichs pour 4 euros. Nous proposons aussi des menus à 9 euros. Des journaux sont disponibles en français et en anglais. Ils coûtent 1 euro. Nous vous souhaitons un bon voyage.

ACTIVITÉ 13

Chers clients, le magasin ferme dans 30 minutes. Merci de vous présenter à la caisse pour payer vos achats. Demain matin, le magasin ouvre à 9 h 15 et ferme à 20 h. Le magasin proposera des promotions toute la journée. Merci et bonne soirée.

ACTIVITÉ 14

Madame, monsieur, la ligne 4 du tramway est fermée du 20 au 23 septembre, de 19 heures à 23 heures, pour cause de travaux. Pour aller à la cathédrale, vous pouvez prendre le bus numéro 13. Pour aller au centre-ville, vous pouvez prendre la ligne 8 du métro. Merci de votre compréhension.

ACTIVITÉ 15

Bienvenue à l'aquarium de Lamotte. Aujourd'hui, nous proposons une activité exceptionnelle pour les enfants : donner de la nourriture aux dauphins. L'activité commence à 11 h. Vous pouvez réserver un ticket à partir de maintenant, c'est gratuit.

ACTIVITÉ 16

Mesdames, messieurs, le train numéro 8 664, à destination de Nantes, départ prévu à 14 h 27, est annulé. Vous pouvez prendre le train suivant à 16 h 18, voie numéro 6. Si vous voulez, vous pouvez demander un remboursement de votre billet à l'accueil de la gare. La SNCF vous présente ses excuses et vous remercie pour votre compréhension.

ACTIVITÉ 17

Mesdames, messieurs, l'embarquement du vol Air France numéro AF 717 commence dans quinze minutes. Ce vol est à destination de Paris. Il part à 8 h 17. Il dure environ deux heures et vingt minutes. Merci de préparer votre billet et votre passeport. Les passagers qui voyagent avec des enfants peuvent embarquer maintenant. Merci.

III Comprendre des conversations entre locuteurs natifs

ACTIVITÉ 1

Situation n° 1 :
– *Femme 1 :* Bonjour madame, à quelle heure ferme la bibliothèque ?
– *Femme 2 :* À 18 h 30.

Situation n° 2 :
– *Homme :* 5 kg de tomates, s'il vous plaît.
– *Femme :* Voilà… Et avec ceci ?
– *Homme :* C'est tout, merci.

Situation n° 3 :
– *Femme :* Excusez-moi monsieur, où se trouve la rue Didier Clément ?
– *Homme :* C'est la première à droite.
– *Femme :* Merci monsieur.

Situation n° 4 :
– *Homme 1 :* Salut David, comment vas-tu ?
– *Homme 2 :* Bien et toi ?
– *Homme 1 :* Très bien, je travaille sur un projet passionnant.

– *Homme 2 :* Quelle bonne nouvelle ! Je suis content pour toi.

Situation n° 5 :
– *Femme 1 :* Regarde Sophie, j'ai acheté une nouvelle chaise !
– *Femme 2 :* Oh... Elle est très jolie !

ACTIVITÉ 2

Situation n° 1 :
– *Homme :* Estelle, je te présente Sofian.
– *Femme :* Salut Sofian, enchantée.

Situation n° 2 :
– *Homme :* Bonjour, je voudrais un billet pour Paris.
– *Femme :* Vous voulez partir à quelle heure ?
– *Homme :* Vers 14 h, si c'est possible.

Situation n° 3 :
– *Femme :* Un café, s'il vous plaît.
– *Homme :* Je vous l'apporte tout de suite, mademoiselle.

Situation n° 4 :
– *Femme :* Bonjour monsieur, bienvenue à l'hôtel Beaulieu.
– *Homme :* Bonjour madame. J'ai réservé une chambre hier.
– *Femme :* Très bien. C'est à quel nom ?
– *Homme :* Monsieur Michel Dubar.

Situation n° 5 :
– *Jeune homme :* Excusez-moi, madame, est-ce que le bus n° 2 est passé ?
– *Femme âgée :* Oui, il est parti il y a deux minutes.
– *Jeune homme :* Oh non !

ACTIVITÉ 3

Situation n° 1 :
– *Homme :* Bonjour madame, à quelle heure part le train pour Paris ?
– *Femme :* À 18 h 15, monsieur.
– *Homme :* Merci beaucoup.

Situation n° 2 :
– *Jeune femme 1 :* Alors, comment s'est passé ton examen ?
– *Jeune femme 2 :* Pas très bien. Il était difficile...
– *Jeune femme 1 :* Oh, je suis désolée pour toi.

Situation n° 3 :
– *Femme :* Joël, le musée ferme à quelle heure ?
– *Homme :* À 17 h 30.
– *Femme :* Alors, il reste une heure avant la fermeture !

Situation n° 4 :
– *Femme :* Oh non ! J'ai perdu mon agenda !
– *Homme :* Je vais t'aider à le chercher.
– *Femme :* Merci. C'est gentil.

Situation n° 5 :
– *Homme 1 :* Qu'est-ce que tu veux boire ?
– *Homme 2 :* Un café, s'il te plaît.

ACTIVITÉ 4

Situation n° 1 :
– *Homme 1 :* Quel mauvais temps !
– *Homme 2 :* Oui, il y a beaucoup de vent aujourd'hui.

Situation n° 2 :
– *Femme :* Quentin, quel est notre numéro de vol ?
– *Homme :* AF 340.
– *Femme :* Alors nous allons bientôt partir.

Situation n° 3 :
– *Femme 1 :* Regarde, ce sont les photos de mes vacances.
– *Femme 2 :* Elles sont jolies. Où es-tu allée ?
– *Femme 1 :* J'ai passé tout l'été à la plage.

Situation n° 4 :
– *Jeune homme 1 :* Tu peux voir les dates du DELF sur Internet.
– *Jeune homme 2 :* Vraiment ? À quelle adresse ?
– *Jeune homme 1 :* www.abc-delf.fr

Situation n° 5 :
– *Femme 1 :* Qu'est-ce que tu veux dîner ?
– *Femme 2 :* Pourquoi pas une pizza ?
– *Femme 1 :* Oui, c'est une bonne idée.

ACTIVITÉ 5

Situation n° 1 :
– *Femme :* Bonjour, qu'est-ce qui vous arrive ?
– *Homme :* Bonjour docteur. J'ai mal au bras.
– *Femme :* Entrez, s'il vous plaît.

Situation n° 2 :
– *Femme :* La pièce commence bientôt ?
– *Homme :* Oui, dans quinze minutes.
– *Femme :* Alors, nous devons entrer dans le théâtre maintenant.

Situation n° 3 :
– *Homme 1 :* Paul, tu es prêt ?
– *Homme 2 :* Attends, je prends mon parapluie.
– *Homme 1 :* Mais, il fait beau dehors...

Situation n° 4 :
– *Jeune femme :* J'espère que l'examen est facile...
– *Jeune homme :* Oh non, les examens universitaires sont difficiles.
– *Jeune femme :* Alors, nous devons étudier toute la soirée !

Situation n° 5 :
– *Femme :* Bonjour monsieur Durand.
– *Homme :* Bonjour Coralie. Est-ce que j'ai des messages ?
– *Femme :* Oui, monsieur Rostand annule son rendez-vous de 11 h.

ACTIVITÉ 6

Situation n° 1 :
– *Homme :* Amélie, tu as reçu une lettre de David.
– *Femme :* Ah oui ? Je vais la lire maintenant.

Situation n° 2 :
– *Femme :* Bonjour monsieur, un croissant s'il vous plaît.
– *Homme :* Bien sûr. Et avec ceci ?
– *Femme :* Une baguette.
– *Homme :* Et voilà. 2 euros 20 s'il vous plaît.

Situation n° 3 :
– *Jeune femme :* Qu'est-ce que tu veux pour ton anniversaire ?
– *Jeune homme :* Un jeu vidéo.
– *Jeune femme :* Tu ne préfères pas un DVD ?
– *Jeune homme :* Non, je veux un jeu vidéo.

Situation n° 4 :
– *Femme 1 :* Que pensez-vous de cette casquette ?
– *Femme 2 :* Elle est jolie. Mais je n'aime pas la couleur.
– *Femme 1 :* Je peux vous proposer une autre couleur si vous voulez.
– *Femme 2 :* Oui, s'il vous plaît.

Situation n° 5 :
– *Femme 1 :* J'adore cet acteur.
– *Femme 2 :* Silence ! Regarde le film !
– *Femme 1 :* Excuse-moi.

ACTIVITÉ 7

Situation n° 1 :
– *Femme 1 :* Tu prends quel bus ?
– *Femme 2 :* Le numéro 3.
– *Femme 1 :* Moi aussi. On peut l'attendre ensemble.

Situation n° 2 :
– *Homme :* Madame, est-ce qu'on peut utiliser le dictionnaire ?
– *Femme :* En classe, oui.
– *Homme :* Et pendant l'examen de français ?
– *Femme :* Non, c'est impossible.

Situation n° 3 :
– *Femme :* Est-ce que je peux consulter mon dossier ?
– *Homme :* Oui, utilisez mon ordinateur si vous voulez.

Situation n° 4 :
– Homme : Bonjour madame. Je suis votre nouveau voisin.
– Femme : Bonjour. Vous habitez au 4ᵉ étage, n'est-ce pas ?
– Homme : Oui, oui.
– Femme : Bienvenue dans l'immeuble.

Situation n° 5 :
– Femme : À table ! Le dîner est prêt.
– Homme : J'arrive tout de suite !

ACTIVITÉ 8

Situation n° 1 :
– *Homme 1 :* Je m'amuse beaucoup.
– *Homme 2 :* Moi aussi. J'adore danser !

Situation n° 2 :
– *Femme :* Qu'est-ce que tu fais ?
– *Homme :* Un gâteau au chocolat.
– *Femme :* Tu veux de l'aide ?

Situation n° 3 :
– *Homme 1 :* On regarde un film ?
– *Homme 2 :* Non. Je préfère regarder un documentaire.
– *Homme 1 :* D'accord, ça me convient.

Situation n° 4 :
– *Homme :* Bonjour madame.
– *Femme :* Bonjour. Je voudrais 3 pots de miel, s'il vous plaît.
– *Homme :* Et voilà.

Situation n° 5 :
– *Femme 1 :* À qui est le CD ?
– *Femme 2 :* C'est le mien. Je l'ai acheté ce matin.
– *Femme 1 :* On peut l'écouter maintenant !

ACTIVITÉ 9

Situation n° 1 :
– *Femme 1 :* Où sont les céréales ?
– *Femme 2 :* Au fond du magasin, madame.
– *Femme 1 :* D'accord, merci.

Situation n° 2 :
– *Homme :* Oh là là, où sont mes clés ?
– Femme : Elles sont sur la table.
– Homme : Comme d'habitude !

Situation n° 3 :
– *Femme 1 :* Tu veux voir quel film ?
– *Femme 2 :* Je ne sais pas. Pourquoi pas une comédie ?
– *Femme 1 :* Une comédie... Pourquoi pas un film d'horreur ?
– *Femme 2 :* Oh non ! Je vais mal dormir cette nuit !

Situation n° 4 :
– *Homme 1 :* Qu'est-ce que tu veux manger ?
– *Homme 2 :* Je vais prendre un menu du jour.
– *Homme 1 :* Moi, je n'ai pas très faim. Je vais prendre un plat du jour.

Situation n° 5 :
– *Homme 1 :* Tu es prêt ?
– *Homme 2 :* Presque ! Je vais chercher mon casque.
– *Homme 1 :* Pas de problème ! On a le temps.

ACTIVITÉ 10

Situation n° 1 :
– *Femme :* Je vais manger des haricots verts.
– *Homme :* Et moi, je vais me servir des frites.
– *Femme :* Moi aussi. On peut manger les deux.

Situation n° 2 :
– *Homme :* Est-ce que je peux prendre ton livre ?
– *Femme :* Oui, bien sûr.
– *Homme :* Merci. Il paraît que l'histoire est incroyable.
– *Femme :* C'est vrai. L'écrivain a beaucoup de talent.

Situation n° 3 :
– *Homme 1 :* Salut Théo. Qu'est-ce que tu fais ?
– *Homme 2 :* Je consulte les annonces.
– *Homme 1 :* Ah ? Pour quoi ?
– *Homme 2 :* Je veux acheter un vélo d'occasion.

Situation n° 4 :
– *Femme :* À quelle heure se termine la réunion ?
– *Homme :* À 11 heures et quart.
– *Femme :* Merci.

Situation n° 5 :
– *Homme :* Vite ! Mon train part dans 2 minutes.
– *Femme :* Dépêche-toi ! À bientôt !
– *Homme :* Oui, oui, à bientôt !

ACTIVITÉ 11

Situation n° 1 :
– *Homme :* Ce spectacle est magnifique. J'aime beaucoup !
– *Femme :* Oh oui… Et la musique ! La musique est très belle !
– *Homme :* Et l'histoire est magnifique !

Situation n° 2 :
– *Femme :* Le dîner est délicieux.
– *Homme :* Merci, ma chérie.
– *Femme :* Merci à toi. Tu es tellement romantique.

Situation n° 3 :
– *Homme 1 :* Quelle belle victoire, c'est fantastique !
– *Homme 2 :* Oui. 80 points pour notre équipe, c'est formidable. J'adore ce sport !

Situation n° 4 :
– *Femme :* Paul ! Où sont les enfants ?
– *Homme :* Ils sont près de moi. Ils jouent dans la piscine.
– *Femme :* Fais attention à eux, d'accord ?
– *Homme :* Oui, ne t'inquiète pas, je les surveille.

Situation n° 5 :
– *Femme :* Paris est une belle ville. La tour Eiffel est vraiment jolie.
– *Homme :* Oui, je suis d'accord avec toi.
– *Femme :* Et nous avons de la chance, il fait très beau aujourd'hui.

ACTIVITÉ 12

Situation n° 1 :
– *Homme :* Ce documentaire est intéressant. Les images sont belles.
– *Femme :* Oui. Je comprends pourquoi il a eu le prix du meilleur documentaire de l'année.

Situation n° 2 :
– *Femme 1 :* Oh, j'ai une idée ! On va nager, aujourd'hui ?
– *Femme 2 :* Oui, avec plaisir. Tu veux aller à la plage ou à la piscine ?
– *Femme 1 :* À la plage ! Je veux nager et bronzer.

Situation n° 3 :
– *Homme 1 :* Dépêche-toi ! Nous sommes en retard.
– *Homme 2 :* Oui, oui, j'arrive ! Oh là là…

– *Homme 1 :* Nous avons 20 minutes de retard. Ce n'est pas possible !

Situation n° 4 :
– *Homme 1 :* Tu veux aller au ciné ce soir ?
– *Homme 2 :* Oui. On peut manger une pizza avant d'aller voir le film.
– *Homme 1 :* Bonne idée ! Une pizza et un film… c'est un bon programme.

Situation n° 5 :
– *Femme :* Oh non ! J'ai oublié mon casque.
– *Homme :* Mais où est-ce qu'il est ?
– *Femme :* Il est à la maison. Attends ici, je vais le chercher.

ACTIVITÉ 13

Situation n° 1 :
– *Femme 1 :* Sophie, regarde cette robe ! Elle est magnifique.
– *Femme 2 :* Achète-la. Elle est très jolie.
– *Femme 1 :* Oui ! Et il y a une réduction de 30 %. C'est génial !

Situation n° 2 :
– *Femme 1 :* Bonjour, ma chérie. Qu'est-ce que tu fais ?
– *Femme 2 :* Bonjour mamie. Je regarde le programme des activités culturelles.
– *Femme 1 :* Oh… Est-ce qu'il y a une exposition intéressante ?

Situation n° 3 :
– *Homme :* Bonjour, madame Salou. Comment allez-vous ?
– *Femme :* Très bien, et vous ?
– *Homme :* Très bien, merci. Tenez, vous avez du courrier.
– *Femme :* Oh c'est une carte postale ! Ma fille Delphine est en vacances en Grèce.

Situation n° 4 :
– *Adolescent 1 :* Tu vas où ?
– *Adolescent 2 :* Je vais faire du patin dans le parc. Tu veux venir ?
– *Adolescent 1 :* Non merci, pas aujourd'hui. Demain, peut-être.

Situation n° 5 :
– *Homme :* J'adore les fraises. C'est mon fruit préféré.
– *Femme :* Moi aussi, j'aime beaucoup. C'est bon pour la santé.
– *Homme :* Oui, je sais. Il y a beaucoup de vitamines.

ACTIVITÉ 14

Situation n° 1 :
– *Homme :* Bonjour madame.
– *Femme :* Bonjour monsieur. Je voudrais 3 timbres s'il vous plaît. C'est pour le Canada.
– *Homme :* Voilà, madame. 1,80 € s'il vous plaît.

Situation n° 2 :
– *Homme :* Est-ce que tu veux aller te promener au bord du lac aujourd'hui ?
– *Femme :* Bonne idée. Je vais faire des sandwichs !
– *Homme :* D'accord. Moi, je vais démarrer la voiture.

Situation n° 3 :
– *Homme 1 :* Charli, à quelle heure est la réunion de demain ?
– *Homme 2 :* À onze heures et quart.
– *Homme 1 :* Parfait ! J'ai le temps de voir un client avant la réunion.

Situation n° 4 :
– *Jeune femme :* On regarde un film, ce soir ? Je t'invite au cinéma.
– *Jeune homme :* Non merci, je préfère jouer à *B.A.T.*
– *Jeune femme :* *B.A.T.* ? Qu'est-ce que c'est ?
– *Jeune homme :* C'est mon nouveau jeu vidéo.

Situation n° 5 :
– *Homme 1 :* Pardon, monsieur. Je cherche la file des taxis.
– *Homme 2 :* C'est facile. C'est tout droit devant vous, jeune homme.
– *Homme 1 :* Oh, merci monsieur. Bonne soirée.

ACTIVITÉ 15

Situation n° 1 :
– *Jeune homme :* S'il vous plaît, monsieur. Où est le terrain de basket ?
– *Homme :* Par ici, vous prenez cette porte. C'est dans le gymnase.
– *Jeune homme :* D'accord. Merci, monsieur.

Situation n° 2 :
– *Homme :* Demain, je prends le métro. Ma voiture est au garage.
– *Femme :* D'accord. Alors, rendez-vous à la station à 9 h.
– *Homme :* Très bien. À demain.

Situation n° 3 :
– *Femme :* Les musiciens arrivent sur scène.
– *Homme :* Super, le concert va commencer !

Situation n° 4 :
– *Femme 1 :* Karine, attends !
– *Femme 2 :* Quoi ? Qu'est-ce qui se passe ?
– *Femme 1 :* Tu as oublié ton sac ! Il y a tes clés et ton portefeuille dedans.
– *Femme 2 :* Oh mince ! Merci beaucoup !

Situation n° 5 :
– *Homme :* Quel genre de musique est-ce que tu aimes ?
– *Homme 2 :* Moi ? J'adore le jazz ! Et toi ?
– *Homme 1 :* Moi, je préfère la pop.
– *Homme 2 :* J'aime la pop, aussi.

ACTIVITÉ 16

Situation n° 1 :
– *Homme 1 :* Salut Paul. Ça va ? Qu'est-ce que tu fais avec cette valise ?
– *Homme 2 :* Salut, je pars en voyage.
– *Homme 1 :* C'est vrai ? Quelle chance ? Tu vas où ?
– *Homme 2 :* Je vais en Italie.

Situation n° 2 :
– *Femme :* Il est beau, ton appareil photo.
– *Homme :* Ah oui ? C'est mon cadeau de Noël.
– *Femme :* Ouah ! Quel beau cadeau.

Situation n° 3 :
– *Homme :* Oh là là, j'ai faim !
– *Femme :* On va au restaurant ?
– *Homme :* D'accord ! J'ai envie de manger une crêpe.
– *Femme :* Et moi, je vais manger une salade composée.

Situation n° 4 :
– *Homme :* Tu veux aller danser ce soir ?
– *Femme :* Ok, mais où ? À la discothèque de l'hôtel ?
– *Homme :* Non, au club de tango !
– *Femme :* C'est d'accord. Avec plaisir !

Situation n° 5 :
– *Femme 1 :* Alors, tes vacances ? Tu es allée à la montagne, non ?
– *Femme 2 :* Non, pas à la montagne. Je suis allée à la campagne.
– *Femme 1 :* Oh... Allez, raconte-moi !
– *Femme 2 :* Alors...

Épreuves
TYPES

Delf blanc 1 //

EXERCICE 1

Salut, c'est Gérald ! Tu veux venir au restaurant mercredi soir, pour mon anniversaire ? Charlène et Antony m'accompagnent. On a rendez-vous à 20 h, je peux passer te chercher à 19 h 40 ? Le menu est à 16 €. Rappelle-moi aujourd'hui au 07 58 58 81 90. Bisous !

EXERCICE 2

Aujourd'hui, le vent souffle sur la Belgique : environ 25 km/h sur tout le pays. Le soleil brille, mais il y a des nuages à l'est. Ce matin, il fait 11 °C à Bruxelles et à Liège, 12 °C à Namur, 13 °C à Anvers et 10 °C à Ostende. La qualité de l'air est bonne.

EXERCICE 3

Bonjour, ici madame Pierrette, la propriétaire. À partir de la semaine prochaine, les locataires doivent taper un code pour entrer dans l'immeuble. Vous devez taper le 51 89. Si vous oubliez votre code, demandez-le à madame Raymond, la gardienne de l'immeuble. Elle est disponible tous les matins du lundi au vendredi, de 9 h à 12 h 30, sauf le mercredi. Bonne journée. Au revoir.

EXERCICE 4

Situation n° 1 :
– *Femme 1 :* Attention, Marine ! C'est mon verre ?
– *Femme 2 :* P... pardon ?
– *Femme 1 :* Tu es en train de boire mon jus d'orange !
– *Femme 2 :* Oh... Je suis désolée.

Situation n° 2 :
– *Femme :* Où sont les yaourts, s'il vous plaît ?
– *Homme :* Dans le rayon frais, au fond du magasin.
– *Femme :* Merci, monsieur.

Situation n° 3 :
– *Homme 1 :* Il va faire beau, cet après-midi.
– *Homme 2 :* Oui, j'ai écouté la météo. Il va faire 30 °C.
– *Homme 1 :* Vraiment ? Je vais aller à la piscine, alors.

Situation n° 4 :
– *Homme :* Je suis en forme aujourd'hui. Je veux courir 10 km.
– *Femme :* 10 km ? Mais tu es fou !
– *Homme :* Non, je ne suis pas fou. Je suis motivé.

Situation n° 5 :
– *Femme :* Chéri, tu peux aller chercher Lucie ? C'est l'heure.
– *Homme :* Quoi ? Déjà ? Le temps passe vite.
– *Femme :* Eh oui... Nous avons passé une bonne journée au parc.

Delf blanc 2 //

EXERCICE 1

Bonsoir, c'est Alexia. Dimanche prochain, je fais un pique-nique au parc. Océane et Quentin viennent avec moi. On peut se donner rendez-vous à 11 h devant chez toi ? J'apporte la salade, Quentin et Océane font des sandwichs. Est-ce que tu peux apporter les boissons ? Rappelle-moi ! Bisous, à plus.

EXERCICE 2

Radio trafic : message aux conducteurs. Il faut faire attention sur l'autoroute A1. Il y a beaucoup de neige à Lille. La vitesse est limitée à 100 km/h, sur 9 kilomètres. Pour plus d'informations, appelez le 09 10 80 13 72.

EXERCICE 3

Bonjour, c'est Simon, de la librairie *Chapitre*. Nous avons reçu votre dictionnaire. Vous pouvez venir le chercher aujourd'hui, à partir de 14 h. Notre magasin est ouvert du lundi au samedi, de 9 h à 18 h. Je vous souhaite une bonne journée. Au revoir.

EXERCICE 4

Situation n° 1 :
– *Femme :* Tu as vu mon nouveau sac ?
– *Homme :* Oui. Il est joli.
– *Femme :* Joli et pratique. Je peux mettre beaucoup de choses à l'intérieur.

Situation n° 2 :
– *Homme 1 :* Pardon monsieur, le cours d'italien, c'est dans quelle salle ?
– *Homme 2 :* Salle 12, au 1ᵉʳ étage.
– *Homme 1 :* Ah… Merci !

Situation n° 3 :
– *Homme :* Bonjour, j'ai rendez-vous avec le docteur Charpentier à 11 h.
– *Femme :* Vous pouvez vous asseoir. Le docteur va vous voir dans quelques minutes.

Situation n° 4 :
– *Femme 1 :* Bonjour, je m'appelle Célia Leblanc. Je suis la nouvelle secrétaire.
– *Femme 2 :* Bienvenue. Je m'appelle Charlotte Colombe. Je suis la comptable.
– *Femme 1 :* Enchantée.

Situation n° 5 :
– *Femme :* Je peux prendre un roman ? Je veux lire un nouveau livre.
– *Homme :* Bien sûr. Prends deux livres, si tu veux.

Delf blanc 3

EXERCICE 1

Coucou, c'est Hourya. Bonne nouvelle : j'ai un nouveau travail. Je veux le célébrer. Samedi, je vais à Funland, c'est le nouveau parc d'attractions de la ville. Est-ce que tu veux venir avec moi ? Après, nous allons chez moi pour manger un gâteau au chocolat. Rappelle-moi au 06 15 08 19 58. Bisous !

EXERCICE 2

Radio ABC, bonjour ! Demain soir, la chanteuse Zéphir est en concert à l'Olympia, à Paris. Vous pouvez gagner 2 places pour aller le voir. Pour gagner, appelez maintenant le 08 92 10 78 35. Le jeu dure 30 minutes à partir de maintenant. Les 20 premières personnes gagneront 2 billets. Bonne chance !

EXERCICE 3

Bonjour. Vous n'avez pas de nouveau message. Pour écouter vos anciens messages, tapez 1 ; pour enregistrer une annonce, tapez 2 ; pour changer votre code secret, tapez 3 ; pour obtenir de l'aide, tapez 0. Pour l'actualité et la météo, appelez le 623.

EXERCICE 4

Situation n° 1 :
– *Jeune homme 1 :* Regarde, Nils, il neige !
– *Jeune homme 2 :* Génial ! On va faire de la luge ?
– *Jeune homme 1 :* Bonne idée, j'adore ce sport !

Situation n° 2 :
– *Homme :* Il fait beau aujourd'hui.
– *Femme :* On va se promener au lac ?
– *Homme :* Oui ! On peut aussi aller pique-niquer !

Situation n° 3 :
– *Femme 1 :* Allô ? Mᵐᵉ Durand ? C'est Mᵐᵉ Delors. Je suis malade, je ne peux pas aller travailler aujourd'hui.
– *Femme 2 :* Pauvre Mᵐᵉ Delors, je vais prévenir le directeur.
– *Femme 1 :* Oh oui, merci beaucoup. Au rev…

Situation n° 4 :
– *Homme :* Bonjour madame. Avez-vous un plan de la ville ? Je cherche le musée Beaubourg.
– *Femme :* Oui, voilà. Je vous montre où trouver le musée.
– *Homme :* Oh, merci beaucoup. C'est gentil.

Situation n° 5 :
– *Homme 1 :* Bonjour, à quelle heure part le prochain car pour Pitoche ?
– *Homme 2 :* À 14 h 16. Quai n° 18, monsieur.
– *Homme 1 :* D'accord. Un billet s'il vous plaît.

FSC
www.fsc.org
MIXTE
Papier issu
de sources
responsables
FSC® C022030

N° : 10257197 - Dépôt légal : février 2019
Achevé d'imprimer sur les presses de Macrolibros en juillet 2019